그냥, 공감받고 싶은 날

힘든 하루였을 당신께

그냥, 공감받고 싶은 날

발　행 | 2024년 4월 29일
저　자 | 미진
펴낸이 | 한건희
펴낸곳 | 주식회사 부크크
출판사등록 | 2014.07.15.(제2014-16호)
주　소 | 서울특별시 금천구 가산디지털1로 119 SK트윈타워 A동 305호
전　화 | 1670-8316
이메일 | info@bookk.co.kr

ISBN | 979-11-410-8309-0

www.bookk.co.kr

그냥,
공감받고
싶은 날

미진 지음

목차

힘든 세상에 지쳤을 당신에게 이 책을 바칩니다.

세상에 사는 모두의 기분을 헤아릴 수는 없지만, 모든 사람의 인생이 그리 순탄하지는 않죠.
많이 힘든 하루를 보내왔지만 힘들었다는 것을 애써 모른 체하며 버텨왔을 당신께 위로의 짧은 글들이 되길 바라면서 이 글을 씁니다.
아주 짧은 글귀로 쓰여져 있기에, 당신이 지쳤을 때 잠깐 동안 읽어도 많은 공감을 받을 수 있길 바랍니다.
세상이 아무리 지치고, 실연이 버티기 힘들고, 사랑이라는 감정이 두렵더라도 이해해주는 이 한명이라도 있으면 마음이 편해지듯이 이 책이 그런 존재가 되었으면 합니다.
더욱 많은 글들은 인스타그램 ins._.ang에서도 보실 수 있습니다. 많은 관심 부탁드립니다.

다시 한번,
'힘든 세상에 지쳤을 당신에게 이 책을 바칩니다.'

제 1장 실연

안녕, 내 첫사랑아
안녕, 내 첫사랑아.

'첫인사'와 '마지막인사'라는 사소하지만 큰 차이지. 이제 마지막인사를 했으니, 정말로 끝난 사이 인거야. 우리가 다정히 인사할 날은 앞으로 없을거야.

아무래도 여친/남친은
일시적 절친이 맞나보다.

사귈때까지만 해도 하나뿐인 가장 가까운 사이였으나, 결국은 가장 멀리 떨어진 일시적 절친.

있잖아, 나만 너 못 잊은거야?

너는 날 잊고 잘 사는 것 같네. 나만 못 잊은거지. 결국 미련 가득한 건 나 혼자인거고.

잘해주고 싶었는데,
더 챙겨주려 했는데,
분명히 우리에겐 시간이 남아있을텐데,
아직 우리의 미래가 열리지도 않은채로
난 너에게 모든 것을 다 해줄 준비만 하다가
너에게 보여주기도 전에 우리 사이가 끝나버렸어.

무엇을 해줘야할지 고민만 하다가는 결국 끝이 나는 관계가 바로 연인이지. 그렇기에 잘해주고 싶어도, 챙겨주고 싶어도 이미 늦은 뒤에는 돌이킬 수 없다는 것을 알고 있어야하더라고. 뒤늦은 후회라는 걸 하기전에 최대한 할수있는만큼 잘해줄걸.

너무 사랑해서 너를 잊지 못했어
잊으려 너를 다시 떠올리다가
다시 사랑에 빠져버렸어

진심으로 사랑했던 나머지, 잊으려 잠깐 떠올린 순간만으로도 결국 다시 사랑에 빠지는 무한굴레.

나는 너를 아직 사랑하지만,
다시 사랑하기엔 겁이 나

사랑하고 싶어도 이미 받은 상처를 다시 번복하기엔 사랑이라는 감정이 너무 어렵고 두려워.

너를 사랑했던 그때로 돌아간다면
지금의 결과는 달랐을까?

이제는 되돌릴수없는 과거지만, 만약 그때로 돌아간다면 지금의 결과는 다르지 않았을까?

사랑해준 적은 있는걸까..
나 혼자만 사랑한 것 같아

분명히 사랑을 주고받아왔는데, 이별하니 아무렇지 않게 돌아서는 너의 모습을 보니까 나를 사랑해주긴 한건지 의심이 들 수밖에 없게 되더라.

너만 괜찮다면 나,
다시 네게 안겨도 될까?
다시 너를 믿어도 될까?

놓치기 싫기에 마지막이라 생각하고 다시 한번 믿고 싶어하는거지 뭐. 다시 예전으로 돌아가고 싶기에 한번 더 너를 믿고싶어.

나는 진심이였는데,
네 곁의 사람은 금방 바뀌네.
나에게 진심이긴 했어?

나와 헤어지고 얼마안가 새애인이 생기는 걸 보면 어이가 없더라고. 그냥 나혼자만 진심이였던것만 같고.

나 이제 너를 사랑하지 못할것같아

그냥 이것저것 많이 지치더라고 사랑이라는게 생각 보다도 더 많이. 그래서 나 이제는 너를 사랑하지 못할것 같아.

친구로라도 다시 지낼수 있을까?
너와의 인연을 이렇게 끝내고 싶지않아

소중했던 사람이기에 이대로 남남이 되기는 너무 아쉬워. 비록 사귀기 이전만큼으로 돌아가기는 힘들겠지만, 다시 친구라도 하고싶어.

난 너가 나를 버린걸 후회할거라 믿어
내가 힘들었던만큼 너도 힘들길 바래

버려지고 마음에 상처가 얼마나 심했는지 너는 모르겠지. 너도 그만큼 아프면 좋겠어. 나만 힘들수는 없잖아.

널 버리지 말걸
아직도 내 마음속에서 너가 안잊혀져

그냥 그때로 돌아가서 내가 조금만 더 참고 싶다. 진짜 죽을만큼 후회돼. 너같은 사람은 다신 없을것같은 느낌이 들어.

이럴줄 알았으면,
좋아하지 말걸
이럴줄 알았으면,
고백하지도 말걸

이럴줄 알았으면..이라는건 너무 늦은 후에야 깨달아버린거지. 이렇게 될줄 모르고 그 사람만 바라보았기에 걷잡을 수 없을만큼 늦어버린 것같아.

첫눈만큼은 꼭 너랑 보고싶었는데
이렇게 허무하게 끝날줄은 몰랐어.

첫눈을 같이 보고싶던 소소한 소망이였을뿐인데, 시도도 못해보고 끝나버렸네.

이제 다시는 진심으로
누군가를 사랑하긴 힘들것같아.

이미 한번 상처를 받았기에 다시 사랑을 한다고 하더라도 그게 진심일 것 같은 느낌이 들지않아.

네가 나를 좋아하지 않는다는걸 알게되니까
내가 되게 초라해지더라.

이루어질수 없는 사랑인걸 알게 되면 마음이 와르르 쏟아지듯, 혼자서만 사랑하던 내 자신이 초라하게 보이더라.

너에게 미친 내 잘못일까
날 미치게 만든 네 잘못일까

내가 너를 이렇게 미칠만큼 좋아하게 될줄 몰랐었는데, 널 미칠만큼 좋아하게 만들어놓고서 날 두고가버리면 난 어떡해야하는거야?

널 잡고싶은데
이미 늦어버린걸까?

잡고싶어도 이제는 널 다시 잡지 못하나봐. 조금만 더 일찍 깨닫고 널 잡았어야 했는데.

오늘따라 네가 보고싶어

그냥 갑자기 생각나서 보고싶다. 아직도 못잊은 내가 미련한걸로 보이려나?

갑자기,
네가 그립다.

갑자기 네가 그립다. 예전의 너와, 너와의 추억들이 갑자기 네가 그립게 만드는 것 같다.

또다시 버려질까봐 겁나

사랑을 하고 또다시 버려질까봐 무서워졌어. 사랑이라는게 이렇게 무서운건지 몰랐는데.

이미 끝난 사이인데
너를 너무 잘 알고있어서
네가 걱정이 돼

이미 끝나버렸지만, 한때는 연인이였기에 너를 가장 잘 알고 있어서 너가 힘들어하는 모습이 걱정이된다. 내가 아는 너는 마음이 여린 사람이였는데.

결국 이렇게 될거였으면
내 마음을 쉽게 다 주지말걸

이렇게 될줄도 모르고 내 마음을 너에게 너무 쉽게 줬던 것 같아. 마음을 너무 쉽게 줘버렸어.

나 다 잊었어.
근데 마음은 너를 못잊더라

나 진짜로 이번엔 널 다 잊었어. 근데 분명 다 잊었는데도 네 생각만하면 심장이 빨리 뛰더라. 널 완전히 잊기는 힘든 것 같아.

우연히 다시 만나게 되더라도
아무일 없었다는 듯이 웃을거야

너를 다시 만나도 잘 살고 있다는 듯이 아주 밝게 보란듯이 웃을거야. 이별이 아무렇지 않았다는 듯이 아주 밝게.

친구에서 연인이 되기는 힘들었는데
연인에서 친구가 되기는 참 쉽네

너와 연인이 되고 싶어서 열심히 노력했는데 이렇게 쉽게 헤어지고 친구가 될줄은 몰랐네.

내 상처를 꿰매줘놓고선
다시 더 큰 상처를 만들어버리고 가네

이럴거면 내게 있던 상처를 꿰매주지 말던가.. 병주고 약주고, 너한테 완전히 당해버렸네.

사랑할땐 하루하루가 진짜 행복했는데
혼자 남겨지니 하루가 진짜 무의미하다

곁에 소중한 사람이 있느냐 없느냐로 내 행복이 좌지우지 될줄이야 알았겠어? 그래서 그런지 요즘 하루가 너무 무의미하더라.

사랑이 이리 아플줄 알았으면
사랑같은거 애초부터 시작하지 말걸

행복하고 기쁜일만 가득할줄 알았는데 아프기만 하더라. 아플줄도 모르고 무턱대고 사랑이란걸 해버렸어.

나 되게 너를 사랑했나봐

진짜 되게 너를 사랑했나봐. 내 생각보다도 더 많이 상상도 못할만큼.

내게 사랑이란 감정을 가르쳐줘서 고마웠어
근데 너말고는 아무도 사랑하지 못할 것 같아.

사랑이라는 감정이 되게 미숙했는데, 너가 알려줘서 확실히 알게되었어. 근데 알고보니 너를 위한 사랑만 확실히 알고 있었나보더라고

있잖아, 첫사랑이라는게
그리 쉽게 잊혀지는게 아니더라

진짜 사람 잊는게 이리 어려울줄은 몰랐는데, 첫사랑이 특히 더 어려운 것 같아. 내게 처음으로 사랑을 알려주어서 그런 것 같기도 해. 그래서 첫사랑은 잊기보다는 한 시절의 추억으로 남기는게 가장 좋더라.

외로워서 연애를 하고싶은데
막상 마음먹으려니까 굳이 해야하나 싶네

연애라는게 꼭 필수는 아니라고 생각해서 외롭다고 굳이 할 필요가 있나 고민이 되네. 이미 이별을 했었는데 굳이 또 할 필요는 없는거잖아?

분명히 너를 지웠는데
다시 떠오르는건 왜일까

너를 완전히 지운줄 알았지만 마음 깊은 곳 어딘가에서 숨어있던건지 너가 다시 생각나네.

썸을 탈때는 설레고 좋았었는데
연애를 하니까 질린다

설렘이 안느껴져서인건지, 이게 사귀는것같지도 않더라. 이런 관계 참 부질없는 것 같더라고 너무 질려버려서 억지로 사랑하긴 힘들더라.

나의 한때 꿈은
너랑 소박하게 단둘이 사는게 다였어.

진짜 아주 소박한 꿈이였지. 이루어지기 힘든 것도 아니었는데도 말야. 이제는 한때의 꿈으로만 남겨졌어.

너를 다른 사람한테 보내기 싫지만,
너를 막을 자격같은건
이젠 내게 없으니까

너를 막을수도 없어서 난 멀리서 지켜보기만 해야한다는게 너무 비참하다. 분명 난 이리 비참한 위치에 있는 사람이 아니였던것 같은데

한때 내 모든걸 바꿔준
너였기에 못 잊을 것 같다

너를 잊을 수 없는 수많은 이유 중 하나야. 너가 나의 모든 것을 바꾸어줬는데 그런 너를 감히 잊을 수 있을리가 있겠어?

아직 네가 많이
보고싶다

진짜로 아직까지도 너가 너무 보고싶어. 잊어야하는 걸 알면서도 너무나도 보고싶다.

모든 이별 노래 가사에
너를 투영하게 돼

이별 노래를 들을 때마다 모든 이야기들이 우리 이야기 같더라고. 내 마음이 그대로 다 들킨것같은 기분이야.

나 혼자 사랑하는거 되게 지치더라고
그래서 이제 포기할까해

어떻게든 마음을 붙잡아 봤지만, 너가 나를 사랑하는 사람으로 보지않길래 그냥 포기하려고.

첫사랑이라는건
이루어졌든, 안이루어졌든
가장 오랫동안 기억에 남아.

첫사랑이라는건 그런 존재니까. 잘 잊혀졌으면 그냥 외로워서였거나 충동적인 사랑이였던게 아닐까?

잘 살고 있는 네 모습을 보면
함께였던 그때가 그리워져

나는 너와 이별하고 아직까지도 과거에 머물러 있는데, 너는 매번 잘 살고 있더라. 만약 우리가 지금도 함께였다면 둘 다 같이 행복하게 잘 살지 않았을까.

연애에 돈을 투자할 바에
난 나에게 투자할래

연애를 해보니까 알겠더라. 사랑하는 너와 함께 있는 것도 좋지만, 싸우기도하고 상처도 받잖아. 그럴 시간에 나를 더 아껴주는게 낫더라. 사실 상처받기 싫어서 회피하는 것도 있겠지만.

미치도록 보고싶다
미치도록 그립다

그냥 긴 말 필요없이 미치도록 너가 보고싶고 그리워. 그때로 돌아가고 싶어.

연락이 뜸해지면
괜히 불안해져

이게 이별의 징조가 아닐까라는 불안한 생각만 계속 들어. 뜸해지더니 결국 너와 이별해버렸네. 그래서 궁금해지더라. 넌 언제부터 이별을 생각하고 있었던걸까.

잊기 싫은게 아니라
못잊은거야

정말로 안잊고 있는게 아닌 못잊고 있는건데, 왜 아무도 믿지않는걸까. 사랑을 나만 못 잊는 것도 아닐텐데, 나도 그 사람을 너무나도 잊고싶은데.

누군가는 못잊고있는 나를 비웃겠지만,
누구보다 열심히 잊으려 발버둥치고 있다는걸
알아줬으면 좋겠다

그냥 한명만이라도 좋으니까, 내가 잊으려 노력하는걸 알아줬으면 좋겠어. 내가 결국 지쳐 포기해버리기전에.

사랑하지만, 그만큼 미워

아직도 너를 사랑하지만 상처를 준건 결국 너였기에 사랑했던 만큼 너가 미워.

평생을 책임져줄 것도 아니였으면서
왜 그렇게 잘해줬던건지

나는 너와 평생을 생각하게 됐었는데, 나 혼자만 착각하게 만들어놓고 떠나버리네. 그럴거면 잘해주지 말던가. 네가 나에게 준 사랑이 네가 준 너의 전부라고 믿었었어.

한때 나의 전부였던 너에게 전하고픈 말이있어.
"많이 고마웠어"

정말로 많이 고마웠어. 너를 사랑하게 해준것도, 나에게 사랑을 준것도, 사소한것 모든게 다 고마웠어. 잘 지내야해.

너라는 사람을 사랑하게
해줘서 고마웠어

너라는 사람을 사랑하는 것도 내게는 큰 행복이였어. 덕분에 행복했어. 너도 행복하길 바래.

너와 마지막 단 하루가 내게 다시 주어진다면
후회없이 잘해주고 싶어

후회없이 잘해줘야 너에 대한 미련을 없애버릴 수 있을것같거든. 지금은 너에게 잘해주지 못한게 너무 미안해서 힘들어.

갑자기 날 떠나버리면
남겨진 나는 어떡하라고...

이렇게 날 두고 떠나버리면 나는 어떻게 살아가야하는거야. 네가 없는 하루를 어떻게 버텨내야하는건데..

"영원하자"라는 말이라도
해주길 바랬어

빈말뿐이라고 하더라도 그런 사소한 말이라도 해주지. 빈말이라고 하더라도 난 정말 기뻤을텐데.

지금 우리의 이별이
마침표가 아닌 쉼표로 끝났으면 좋겠어
언제든 다시 시작할수있게

이렇게 끝내고 싶지는 않거든. 그냥 지금은 잠시 쉬어 가는거라 생각할게. 다시 시작할 준비 되면 말해. 언제든 웃으며 반겨줄수있어. 그러니까 제발 우리의 이별이 마침표라고 말하지말아줘.

너가 행복해진다면
내가 불행해져도 좋았어

내 인생이 불행해지더라도 너라는 사람이 행복해하는 모습을 보면 나까지 행복해졌었거든.

너의 연락을 기다리던게 저녁이였는데
어느새 또 아침이 찾아왔네

너의 연락만을 기다리다 어쩌다 밤을 새고, 아침이 찾아왔어. 여전히 넌 아무 연락도 없구나. 그래도 하루만 더 기다려볼래.

다 잊은줄 알았는데
아직까지도 네 생각만으로 눈물이 난다

너가 미워서 나는 눈물인지, 너가 그리워서 나는 눈물인지는 모르겠지만 결국 너 하나때문에 눈물 흘리는건 변함없더라. 제발 이제는 좀 잊고싶다.

나를 좋아해주었던 사람도 쉽게 잊혀지진 않지만,
내가 좋아했던 사람이 더 오랫동안 안 잊혀지더라

많은 사랑을 해봤지만, 내 기억에 남는 사람은 내가 좋아했던 너였어. 아마도 평생 잊히지 않겠지.

너를 잊을바에 차라리
너와의 예전 추억속에 갇혀버릴래

너는 잊기싫은 그런 존재거든. 널 잊기 싫으니까, 차라리 나 혼자 그 추억속에 머물러있을게. 언제든 널 기다릴테니까. 천천히 돌아와줘.

딱 한가지 소원만 들어줘
우리가 비록 헤어졌지만,
아무일 없었다는 듯이 예전처럼 대해줘

갑자기 나를 어색하게 대하면 너무 뻘쭘해지잖아? 그냥 아무일 없었다는 듯이 다시 예전으로 돌아가자. 나도 아무렇지 않게 대할테니까.

분명 난 너의 모든 모습들을 볼 수 있었는데
지금은 왜 너의 뒷모습밖에 볼 수 없는걸까

예전이랑 지금 시점이 많이 달라졌더라. 지금은 네 곁에 머물수도 없고, 멀리서 지켜보기만 해야해. 더 다가가면 너가 멀리 떠나버리니까. 멀리서 지켜보기라도 하게 해줘서 고마워.

너를 사랑하고 있지만,
너가 힘들어하니 사랑해도 헤어져야하네

사랑하고 있어도 어쩔 수 없이 헤어져야 한다는게 너무 슬프다. 너 앞에선 한없이 약해지는 나라서, 그냥 물러서게 돼.

나 안ㄴ췋햤는데
아직 녖룰 좋ㄷ아헤

술 기운에 너가 생각나더라. 취기를 빌려서 아직 좋아하고 있다고 말해주고 싶었어.

또 나만 네 생각하지

나만 네 생각하는 것 같더라. 난 되게 널 좋아했는데, 넌 내 생각을 아예 안하는 것 같아. 진짜 나혼자만 생각하지 자꾸.

"너 되게 싫어. 진심으로 너무 싫어"
이런말 하는 내가 더 싫지만말야.

그냥 이렇게라도 싫다고 말하고 싶었어. 사실 너가 좋아. 근데 모른체하려고 싫다고 말하게 되더라. 이런 나 자신이 비참하고 싫어져.

첫사랑보다도 더 좋은 사람이 나타나면
그땐 첫사랑을 잊을 수 있을까?

너를 잊으려면 다른 사람으로 잊는 것 밖에 없는 것 같아. 근데 정말로 너보다 더 좋은 사람이 나타나면 그때는 드디어 널 떠나보낼 수 있을까? 사실 확신하진 못하겠어.

내 미래는 너였기에
엄청나게 밝을 줄만 알았어.
네게 배신당해서 어두워지기 전까지만 해도

나의 미래였던 너가 변할줄은 상상도 못했어. 밝은 날만 가득할 줄 알았는데, 왜이리 어두운 날들만 남아있는 걸까?

너가 정말 나만큼 아파하길 바라지만,
한편으론 내가 아플테니
너라도 괜찮길 바라고있어

이별의 아픔을 주었던 너였기에 나만큼 아파하길 바라지만, 한편으로는 나에게 사랑의 행복을 주었던 너였기에 아프지않기를 바라기도 해. 그러니까 차라리 나혼자 아픔을 겪어낼게.

너와 함께 보내던 그 계절이 돌아올때면
아직 네가 내 곁에 남아있는 것처럼만 느껴져

계절은 매년 돌아오지만, 너와 함께보낸 그 계절의 추억은 다시 돌아오지않으니까. 매년 돌아오는 계절에 있는 너와의 추억을 되짚어보게 돼.

시작이 있으면 끝이 있듯
너와 시작한 로맨스도 결국은 끝이 나더라.
한편의 로맨스 영화같은 사랑이였지만,
우리의 엔딩은 아쉽게도 새드엔딩이였어.

가장 아름답게 빛났던 우리의 영화였지만, 결국 이별하게 되었고 서로의 마음엔 슬픔과 상처만 남았어.

나는 너의 장난감이 아닌데
왜 나의 마음을 가지고 노는거야?

마치 내가 장난감이 되어버린 것처럼 네가 바라는 대로 행동하고, 너의 말 한마디에 나의 기분이 조종당하고 있잖아.

잊어버리라는 말, 정말 듣기 싫어
나는 그 사람을 잊고 싶지 않거든.

잊고 싶지 않은 사람과 잊고 싶은 사람이 있듯이, 너는 내게 잊고 싶지않은 사람이야. 남들이 잊으라고 말해도 정말 잊고 싶지않아. 남들은 못 잊는 나를 손가락질하겠지만 어쩌겠어, 아직 네가 좋은데

내가 너 아니면 안되는 것처럼
너도 내가 아니면 사랑하지 못하길 바래

이미 너에게 적응되어 너가 아니면 안되는데 너는 내가 아닌 다른 사람을 사랑하고 있으면 마음이 찢어질 듯 아플것만 같거든.

너가 나보다 좋은 사람을 만났으면 좋겠어
내가 너에게 모자란 사람이라
잘 챙겨줄 수가 없었어
이젠 날 잊고 좋은 사람을 만나길 바래

그저 어리기만 했던 내가 너를 감당하기엔 버거웠던 것 같아. 나, 이젠 널 천천히 잊어볼테니까 너도 날 얼른 잊고 나보다 더 좋은 사람과 사랑하길 바래. 너는 충분히 좋은 사람이란걸 내가 알고있거든.

무슨 말이라도 해줘
헤어지자는 말만 하고 왜 아무 말도 없는거야
장난이라고 말해줘

장난이라고 말해줘. 아니면 홧김에 말해버린거라고 해줘. 실수라고 말하면 바로 용서할테니까..

시간이 지나면서
너를 사랑하던 마음을 정리하고
완전히 과거로 묻어뒀어.
그제서야 내가 발전하더라

내가 왜 앞으로 나아가지 못했나 했더니 너에대한 미련때문에 못 나아갔던거더라. 이젠 널 완전히 잊고 더욱 더 많이 발전할거야. 네가 후회할 수 있게. 이젠 미련이라는 걸림돌이 없으니까.

가장 좋아했던 사람이고
가장 잊기싫은 사람

너를 한 문장으로 표현한다면 이런 느낌이 아닐까? 가장 좋아했고 잊기싫은 사람 그 자체니까. 좋아하니까 잊을 수 없고 못잊어서 계속 좋아하게 돼.

사랑하고 있다면
헤어지자는 말을 할 수 없다.
만약 헤어지자는 말을 했다면
그건 더이상 사랑하지 않는다는 것이다.

사랑한다면 헤어지는 것 자체가 많이 두려운 것인데, 장난으로라도 그런 말이 나올 수 있다는 건 한번쯤은 진심으로 헤어질까라고 생각했던거야. 사랑이 식었다는 말이지.

난 너를 되게 좋아했어
어쩌면 아직까지도 좋아하는 걸수도 있지만.
뭐, 그냥 알아두라고

너무 뒤늦게 진심을 전하게 됐네. 나 사실 아직까지도 너를 좋아하고 있는 것 같아. 헤어졌지만, 언제까지나 네 편이 되어줄게.

감정낭비, 시간낭비일걸
알고있지만 포기할 수 없는 단 한 사람

모든게 낭비될걸 알고 있지만, 계속 잊혀지지않는 사람. 어쩌겠어 내가 포기 못하고 계속 좋아하고 싶다는건데.

이별이 두려워서
좋아하는 마음으로만 묵혀두게 된다

너와 헤어지는게 너무나도 두려워. 그렇다고 언제까지고 네가 내 마음을 알아주길 기다릴 수도 없겠지. 하지만 어쩌겠어. 이별하고 싶지는 않은걸.

헤어졌다고 보고싶은 마음이
쉽게 사라지지만은 않는다

서로를 1순위로 생각하고 가장 소중했던 사람인데, 어떻게 보고싶은 마음이 그리 쉽게 사라지겠어. 어렵지만 내가 포기를 해야지. 잊혀질때까지, 보고싶지않을때까지 계속.

나만 너를 놓아버리면,
이 관계는 끝이 나겠지만
너를 놓고 싶지 않아

너를 놓아버리는거, 그거 어떻게 하는건데 나에게 그런 어려운 과제를 주는거야? 널 놓고싶지않아. 이대로 우리가 이별하기는 싫거든.

야가 자기야가 되고
자기야가 더이상 대답없는
나홀로의 외침이 되는건 한순간이다

자기야까지 좋았었잖아. 왜 이제는 나혼자서만 애타게 너를 부르고 있는걸까?

이별이란게
이렇게 아플줄 모르고
너를 사랑해버렸었어

너와의 이별은 없을거라 생각해서 이별이 이렇게나 아플거라고 생각하지도 못했어. 너를 너무나도 사랑했어서 더욱 더 아픈 이별인것같아.

그리워해봤자 가장 힘든건
결국 나 자신이다

걔는 지금쯤 날 벌써 잊었겠지. 내가 그리워한다고 해서 걔가 내 마음을 알아줄리도 없을테고. 결국 나 혼자만 아픈거지.

너를 만나기는 어려웠지만,
너와 이별하기는 참 쉽더라

너와 연애하기 위해서 몇개월, 몇년을 노력했는데 이별은 몇번의 실수로 금방 일어나더라. 이렇게 순식간에 남이 될줄은 몰랐는데.

네가 내 세상의 전부였기에,
내 세상이 무너져버렸는데도
흔적만은 남아있더라

내 세상이던 네가 없어졌지만, 네가 남기고 간 내 세상의 흔적은 고스란히 남아있어. 너와의 모든 추억들 말이야.

유독 그 시절로 돌아가고픈
그런 날

가장 좋았고, 행복했던 너와의 예전 그 모든 날들로 돌아가고 싶어. 아무런 걱정없이 해맑았던 그때의 너와 나로.

내가 좀 더 잘했으면,
우리가 이런식으로 이별하지않았을텐데

내가 조금만 더 참고 노력할걸. 그랬으면 우리가 결국 이별을 하더라도 지금보다는 더 좋게 이별했을텐데.

너가 나를 사랑한게 아닌
사랑만 필요했던 것 뿐이라는 걸
너무 늦게 알아버렸어

나를 사랑해주는 줄 알았는데, 그게 아니라 보여주기식 연애일줄은 몰랐어. 내가 너를 너무 진심으로 사랑했어서 늦게 알아차린 내가 너무 후회돼.

네게 내가 좋은 사람으로
남게 되었을지는 모르겠지만,
너는 내게 좋은 사람이었어

나도 네게 좋은 사람으로 기억되었으면 좋겠지만, 너무 큰 바람이겠지. 그래도 적어도 내 기억속의 너만큼은 좋은 사람으로 남아있어. 앞으로도 계속 좋은 사람으로 남아있을테고.

너는 나를 사랑한 적은
있었던거야?

이별을 참 쉽게 말하던데, 애초부터 너는 나를 사랑한 적 없었던게 아닐까?

우리가 보낸 시간들이 헛된 시간이 아닌
서로에게 힘이 되는 시간이 되었길

결국 이렇게 우리가 이별하게 되었지만, 서로를 의지하고 서로에게 힘이 되었던 날들이였길 바래. 나는 네덕에 많이 힘이 되었었어.

나만 놓으면 끝나는 관계라는걸
알고있지만 이대로 놓기는 싫은 그런 사람

나만 놓으면 끝나겠지. 근데 이대로 놓기엔 너는 내게 너무 좋은 사람인걸. 놓치고 싶지않을만큼.

고작 한마디로
마음이 무너져 버린다

그 한마디를 한게 내가 좋아하던 너라서. 내가 가장 믿고 있었고, 가장 많이 좋아하던 너가 내게 한 말이라서.

질리지가 않아서 좋았고,
질리지가 않아서 너를 밀어낼 수 없었다

질리지가 않는다는 것은 대단한 것 같아. 너가 질리지 않으니까 밀어내고 싶어도 밀어낼 수 없으니까. 널 밀어내야하는 순간인데도.

비록 안좋은 날의 기억이라고 해도
너를 떠올릴 수 있어서 좋았다

그저 너를 떠올릴 수 있었다는 것 자체로도 너무 좋았다.

거짓이 없던 너였기에
사랑하는 모습이 다 보여서 좋았고
질려하는 모습이 다 보여서 슬펐다

거짓이 없다고 다 좋은건 아니더라. 모든 모습이 다 거짓없이 보이니까 너의 진실된 마음에 상처받게 되었거든.

애인을 사랑하는마음
나는 100 X 너는 0 = 결국 0이네.

나 혼자만 사랑하면 뭐해, 너가 나를 사랑해주지 않았는걸. 그래서 우리가 이루어지지 못한거지. 네가 나를 조금이라도 사랑해주었다면, 이루어졌을텐데.

피곤한거라 피하는거야,
피하느라 피곤한거야?

뭐가됐든 결국 나를 피하는거지만. 이미 네가 나를 질려한다는 건 알고있어. 피곤한건 이해하지만, 그렇다고 피할 필요까지 있었을까.

단 둘이 있는걸
피하려고 하는 것 같아

나는 너와 단둘이 있고 싶은데, 어떻게든 한두명씩 불러서 나와 거리를 두고 있더라. 차라리 싫다고 말하는게 덜 상처받을 것 같아.

나는 네가 아직 너무 좋은데
너는 내가 아직 좋은게 맞을까?

나 혼자서만 좋아하는걸까? 너는 나를 좋아하지 않는 것 같던데. 네 마음이 변한 것 같아.

제 2장 사랑

한번 널 떠올린 뒤로
계속 생각나는게,
아무래도 널 좋아하나보다

사랑이란 감정이 서툴러서 잘은 모르겠는데, 내 머릿속에서 계속 너가 생각나는거 아무래도 너를 좋아한다는 거겠지?

딱 한번만 전화 걸어봐도 될까?

너의 목소리가 너무 듣고싶어. 딱 한번만 네게 전화해도 될까? 너와 전화를 밤새도록 하고싶긴한데 그냥 네 목소리만 들어도 좋을 것 같아.

사랑해라는 말 좀 듣고싶다

사랑해라는 말을 네게서 가장 듣고싶은데, 사랑한다고 말해주라.

사소한거 기억해주는 남자가 좋더라

사소한거 하나라도 기억해주면 진짜 설레더라. 내가 스치듯 말했던 음식도 기억해주는 거 진짜 너무 감동이고 좋더라.

사생활터치 안하는 여자가 좋더라

누구랑 노는지, 지금 어디서 뭘하는지, 술을 마시고 있는지 하나하나 감시 안하고 하고싶은대로 하게 해주는 그런 여자가 좋더라. 감시당하는건 연애가 아니라 억압이잖아?

새벽만 되면 네가 생각나는데,
나 아무래도 널 좋아하는것같아
이런 내 맘 받아줄 수 있어?

새벽에 가장 보고싶은 사람이 너야. 사실 내 맘에 확신이 없었는데, 계속 생각나서 확신이 생겼어. 이런 내 맘 받아줄 수 있을까?

어쩌지 우린 분명 친구인데
왜 심장이 빨리 뛰는걸까

우린 분명 친구일텐데 너만 보면 자꾸 심장이 빨리 뛰어. 나 널 이성으로 생각하나봐. 심장이 너무 빨리 뛰어서 주체가 안돼.

나 원래 되게 무뚝뚝한데
네 앞에서만 애교가 많아져

나 진짜 원래 이런 사람이 아니였는데, 너를 만나고부터 달라진 것 같아. 너 앞에서 잘 보이고 싶어서 인걸까?

어떡하지 아무래도 나
너의 모습에 또 반한것같아

진짜 너라는 사람은 보면 볼수록 반하게 되는것같아. 나도 모르게 너에게 홀리게 돼.

꾸미지않은 네 모습이 사랑스러워보이는건
아무래도 네가 좋아서인가보다

너의 모든 모습이 너무 사랑스러워보여. 남들은 콩깍지라고 하겠지만, 너가 너무 좋아서 그렇게 보이는 걸 어떡하겠어. 너가 꾸미지않더라도 있는 그대로의 너가 정말 너무 좋아.

수많은 사람중
너라는 사람은 한명뿐이라 더 소중해

아무리 많은 사람들이 있어도 너라는 사람은 단 한명뿐이잖아. 그래서 더 잘해주고 아껴주고 싶어. 너는 정말 소중한 사람이거든 내게는.

우리가 싸워도
우리가 힘들고 지쳐도
우리가 이별직전이라해도,
사랑한다는 말을 꼭 해주고싶어

무슨 일이 있든 너를 사랑할게. 그러니까 우리 모든 일들을 같이 극복하자. 무슨일이든 사랑으로 이겨내자.

너라서 행복해

너라는 존재가 내곁에 있어주는 것 자체가 너무 행복하다. 너가 아니였다면 행복하지 못했을것같아.

미안해라는 말대신
고마워라는 말이 좋더라
"내가 늦었지 미안해"보단
"늦은 날 기다려줘서 고마워"
처럼말야.

그러니까 미안해말고 고마워라고 해줘. 매번 미안하기만 하면 그게 사랑은 아니니깐. 고마워 항상.

네 생각만하면 심장이 두근대

너를 생각만해도 너무 두근거린다. 진짜 너무 행복해. 너와 같이 있는다면 내 심장소리가 들릴까 걱정 될만큼 두근거려.

갑자기 너한테서 전화가 온다면
그날은 하루종일 기쁠것같아

시시콜콜한 얘기라고 하더라도 너의 목소리를 듣는 것만으로도 너무 기쁠 것 같아. 네게 먼저 전화가 왔다는 거 하나만으로도 나는 하루종일 행복할거야.

예전 애인따위 생각이 안 날 정도로
너가 너무 좋아

네 덕분에 행복한 삶을 살 수 있는 것 같아. 너가 너무 좋아서 다른 사람 생각은 하나도 안나.

내가 좋아하는 사람이
나를 좋아하면 좋겠다

내가 좋아하는 사람이 나를 좋아해줄 확률은 낮겠지만, 진짜 조금이라도 나를 좋아해주면 좋겠어.

새벽마다 너가 떠올라
지금 당장 연락하고싶어

너가 자고있을까봐 연락도 하지 못하고 안절부절하게 낮이 되기만 기다리고 있어. 나 너한테 연락하고 싶은걸 되게 많이 참고있어.

지금 난 구멍난 배에 차오르는 너라는 물을
빼내려하고 있는 것 같아
결국 너라는 물에 침몰되겠지만

너가 너무 빠르게 내 마음에 차올라서 내 마음속이 너로 가득해졌어. 아무리 너를 빼내고싶어도 이미 너가 가득차버렸어.

나 좋아해주는 사람
놓치지 말아야겠다

나를 순수하게 진심으로 좋아해주는 사람이 많지않다는 걸 이제 좀 알게되었어. 그래서 그런 사람 놓치지 않으려고.

이기적인거 알지만
나만 바라봐주고 좋아해주면 좋겠어

이게 이기적이라고 해도 난 정말로 너가 나만 좋아해주면 좋겠어. 나도 너만 바라보고 좋아할거니까. 우리 서로만 바라보자.

갑자기 너한테서 전화가 오면
오만가지 생각이 다 들어

너한테서 전화가 오면 심장이 막 두근대. 무슨 일로 전화했을지도 궁금하고, 어떻게하면 오래 목소리를 들을 수 있을지도 고민되고 오만가지 생각들이 머릿속을 채워.

우리 절대로 싸우지 말고
헤어지지도 말자

힘든 말인걸 알고있지만, 너와 함께라면 불가능은 아닐것만 같은 느낌이 들어. 그러니까 우리 꼭 절대로 싸우지도, 헤어지지도 말자. 나도 열심히 노력 할테니까 말이야.

나를 좋아해주는 사람도 좋다지만
내가 싫어하는 사람을 억지로 만나기는 싫어

사랑이란건 억지로 이루어지는 감정은 아니니까, 내가 사랑할 사람은 내가 고르려고. 주변시선에 이끌려 좋아하지도않는 사람과 사랑을 하긴 싫어.

나 너 좋아하는데
고백해도 돼?

사실 머릿속으로만 상상하고 계속 내뱉지 못했던 말이야. 정말로 가장 하고 싶었던 말인데, 네가 말하는 답도 내가 가장 듣고 싶었던 말이면 좋겠어.

사랑해
우리 절대 헤어지지말자
너밖에 없어
네가 내 인생의 구원이야
나랑 사귀어줘서 고마워

가장 아름답고, 듣기 좋은 말들.

날 웃게 해주는 사람이
곁에 있어주어서 행복하다

그 사람이 너라는 것에 더 행복해. 나도 그만큼 널 웃게 해줄게. 내가 살아가는 이유이자, 내가 웃을 수 있게 해준 네덕에 언제나 행복하게 지낼 수 있을 것만 같아.

너와 함께있는 지금 이곳에서
시간이 멈췄으면 좋겠다

너와 아주 오랫동안 같이 있고싶어. 그냥 지금 같이 있는 지금 이 순간이 멈췄으면 좋겠다.

나의 빈 도화지같은 세상에
너라는 붓이 색칠해준 덕에
내 도화지는 알록달록한 세상이 되었어

말이 어려워보이겠지만, 한마디로 너라는 사람이 내 세상에 꽉차서 내가 행복해졌다는거야. 더욱 알록달록한 세상이 되도록 언제나 함께하자.

너는 내 인생의 빛이야

너는 내가 유일하게 따를 수 있는 빛, 내 삶을 이끌어 주는 빛이야. 막막해서 헤매고 있던 내게 손을 내밀어준 너란 빛이 없었으면 아직까지도 이도저도 못하고 헤매고 있었을거야.

감정을 숨기는 연애보단
감정을 표출하는 연애가 낫더라

감정을 숨겨봤자 오해만 생겨나는데 오해 하지않고 오래 연애를 하려면 솔직하게 감정을 말해주는게 낫더라.

보기싫은 사람이 가득해도
보고싶은 한사람이 있으면 괜찮아지더라

그 사람만 보고있으니, 보기싫은 사람들은 보이지도 않더라. 한사람덕에 이런 용기가 나올 수 있을줄은 상상도 못했었는데.

첫시작은 어렵지만
적응하면 반포기상태로라도
간절히 기다리게 되는게 짝사랑인것같아

짝사랑이라는게 그 과정동안 정말 기다리기도 힘들고 고통스럽지만 이뤄진다면 세상을 다 가진듯한 기분일걸 알기에, 간절히 기다리는거야.

좋아하지만 너가 나를 부담스러워할까봐
한발짝 멀리서 좋아하게 되는것같다

멀리서 보는 것만으로도 좋으니까. 너가 나를 피하지만 않길 바라며 그냥 멀리서 혼자 좋아하고 있는거야. 어쩌겠어, 이런게 짝사랑인걸.

끝이 없는 기다림속에
내가 원하는건 오로지 너 하나

언젠가 끝이 있다면, 그 끝에는 너와 함께 있으면 좋겠어. 너 하나만 바라보고 끝을 향해 열심히 달리고 있을게.

연애는 내가 깎여나가도 아프지않게
감싸주는 사람과 하는게 맞는것같아
내가 깎여가기만한다면 그건 일방적인 사랑이니까

이런 사랑이 가장 올바른 사랑이 아닐까? 나만 주는것이 아닌 함께 서로 나눠주는 사랑. 이런 사랑을 하고 싶어.

변함없는 사람이 가장 좋은 사람이다

나도 변함없이 너만을 좋아할테니까, 너도 변함없는 사람이 되어줘. 우리가 앞으로도 변함없는 진실된 사랑을 할 수 있게.

지금도 너와 함께 있지만
더욱 오랫동안 함께있고 싶어

오래오래 함께있고 싶어. 친구로 오래있는 것도 좋지만, 그것보다는 더 가까운 사이로 오랫동안 같이 있고싶어.

너를 지금껏 정이라고 생각해왔는데
아무래도 정이 아니라 애정이였나봐
네 생각만해도 행복해져

정과 애정은 한끗차이라고 생각했었는데, 정말이였나봐. 내가 친구로 생각해왔던 네가 이성으로 보이는 걸 보면 말야.

이상형이 뭐냐고 물어보면
난 너라고 대답할거야

너라는 사람 자체가 나의 완벽한 이상형이야. 네가 장발을 한다면 난 장발을 좋아할거고, 네가 패션을 잘모른다면 패션을 모르는 사람을 좋아할거야.

힘든 내 하루의 유일한
활력소는 너야

내 인생의 활력소가 되어주어서 너무나도 고마워. 활력소인 네가 없으면 내 인생이 돌아가지않을테니까, 오랫동안 있어줬음해.

반복되는 계절들을
너와 함께 새롭게 써내려가고싶어

너와 함께한다면 계절들은 반복되는 것이 아닌 전부 새로운 것이 되는거니까.

너와의 인연을 이제
연인으로 바꾸고 싶어

인연을 연인으로 바꾸게 된다면, 나 정말 행복해질 것 만같아. 너는 어떻게 생각해?

네 목소리를 더 듣고싶어서
새로운 이야깃거리를 만들어내고 있어

이 대화가 끝나지 않길 바라면서 시시콜콜한 얘기들을 계속 만들어내고 있어. 너의 목소리를 더 오랫동안 듣고 싶거든.

첫눈에 반한다는거 안 믿었는데
널 본 순간 믿게 됐어

내가 원래 이런 말 잘 안하는데 널 보고 첫눈에 반했어. 정말로 많이 좋아해.

봐도봐도 질리지 않는게 너야

사람이 어떻게 이리 질리지 않을 수 있을까? 너와 함께라면 항상 행복할 수 있을 것만 같아.

각자의 사랑방식이 있듯이
우리도 우리만의 사랑방식을 찾아보자

남들과 똑같은 사랑보다는 우리만의, 우리에게 맞는 사랑의 방식으로 행복하게 연애하자.

나밖에 모르던 내가
너밖에 모르는 사람이 됐어

원래 나는 나밖에 모르는 이기적인 사람이었는데, 네 덕에 남을 돕고 아끼는 법을 배웠어. 너만 바라보면서 지내려고.

연인이 된다는건
서로를 가장 의지할 수 있다는 것

서로의 버팀목이 되어주는 든든한 관계라고 생각해. 나는 너의 버팀목이 되어줄테니, 너는 나의 버팀목이 되어줘. 나는 네 덕에 삶을 이겨내고 버텨내고 있거든. 너도 내가 그런 존재면 좋겠어.

어느 순간부터였을까 눈을 뜨면
네가 어디있는지 찾게 된게

나도 모르게 눈을 뜨면 네가 어딨는지 찾게됐어. 어딜 가든 너의 위치부터 찾기 시작했고, 찾은 너를 지켜보게 됐어.

보고싶다는 말보다는
보고싶어서 왔다는 행동이 더 중요하다

말 백마디보다는 행동 한번이 더 표현이 잘 전달 되거든. 그러니까 말만 하지말고 나에게 와줘.

필요할 때만 찾는 그런 사람말고
언제나 내 곁에 있어주는 그런 사람이 좋다

내가 힘들어 할 때도, 내가 기쁠때도 언제든 묵묵히 내 곁에 있어주는 그런 사람이 너무 좋더라. 그리고 네가 내게 그런 존재야.

눈을 떴을 때 네가 내 눈 앞에 있는게
내겐 엄청난 행복이야

말로 표현 못할만큼 너무나도 행복하거든. 내가 가장 좋아하는 사람이 내 앞에 있다는게 믿기지 않을만큼 많이 행복해.

맞아, 나 너를 많이 좋아해.

너무 티가 났으려나? 너를 좀 많이 좋아하고 있어. 너만 괜찮다면 내 마음 받아줄 수 있을까? 많이 좋아해. 정말 거짓없이 진심으로 좋아해.

나만 너 보고 싶어하는 것 같아

나 혼자서만 멀리서 좋아하고 있는 것 같네. 차라리 네가 내가 좋아하고 있다는 걸 알고 있으면 좋을텐데. 그러면 날 조금이라도 의식해줄텐데.

문득 그 사람이 보고 싶을때
장난치듯 자연스럽게 연락을 보내

그냥 장난 치는 것처럼 자연스럽게 너와 연락을 하고 싶거든. 사실 너도 모르게 내가 너를 좋아하고 있어서 인거지만.

너를 단 한마디로 표현하자면
넌 내 인생의 전부야.

너가 없으면 나의 세상이 돌아가지 않거든. 네가 나의 인생이자 내 세상의 중심이야.

너의 말 한마디로
나의 기분을 조종해도 좋아

너라면 나의 모든 것을 맡길 수 있을만큼 좋아. 너무나도 좋아서 너의 말 한마디로도 나의 기분이 달라지거든.

너와 있는 것 자체가
일상의 가장 큰 기쁨이야

소소하게 너와 함께 걷는 길거리도, 너와의 평범한 일상 대화도, 그냥 마주보고만 있어도 나의 하루는 기쁘게 지나가.

바라만 봐도 좋은 사람,
그건 너 하나

보기만해도 너무 좋은 사람이 있다더라. 내게도 그런 사람이 있을까라고 생각했는데 딱 너가 떠오르더라.

너를 생각만해도
너를 보기만해도
저절로 미소가 나와

그냥 너라는 사람자체가 내게 웃음을 지어주는 존재인 것같아. 네덕에 행복해.

너 앞에서만 한없이 작아지게 돼
나의 본모습들을 다 보여주게 돼

원래 남들 앞에선 앞장서서 나서고 용감했는데 네 앞에서는 계속 실수하고 부족한 모습만 보이게 되더라. 부족한 모습만 보이는 나를 좋아해주는 네 덕에 나의 본모습이 나타나는걸까?

나의 어떤 모습이든 사랑해주는
그런 사람과 오래오래 연애하고 싶다

화장을 안해도, 착한척을 하지 않아도, 모든 것을 잘 하지 않더라도 사랑해주는 그런 사람과 헤어지지않고 연애 하고싶어.

사랑이란걸 지겨울 정도로
많이 받고 싶다

사랑이란걸 좀 많이 받고싶어. 다른 사람도 아닌 네게서 말이야.

한사람 덕에
울고, 웃고, 화나고
감정이 풍부해진다

내가 원래 이렇게나 감정이 풍부했던 사람이였던지. 표현하는 법도 잘 몰랐는데 너와 지낸 이후로 모든 감정들이 풍부해졌어.

내가 너를
좋아하지않는 날이 오기는 할까?

너의 그 많은 매력들을 알고 있는데 어떻게 안좋아할 수 있겠어. 좋아할수밖에 없지. 앞으로도 계속 좋아할게.

나에게 표현 잘해주는
그런 사람이 좋다

표현하지않으면 알 수 없어. 그래서인지 나는 표현 잘해주는 그런 사람이 좋더라. 그러면 나도 잘 표현해줄 자신 있거든.

지나간 일은 이미 되돌릴 수 없지만,
지금의 너만큼은 변하지 않았으면 좋겠어

나와 있는 너의 지금 이 모습이 변치않고 오랫동안 그대로였으면.

내가 모르던 내 모습들이
네 앞에서만 나타나

나도 모르던 내 모습들이 자연스럽게 나타나더라. 내가 이리 애교가 많을줄도 몰랐고, 이리 다정할줄도 몰랐어.

네가 나를 좋아해줄 그 순간까지
언제까지고 기다릴게

나는 변치않고 너를 사랑할테니까, 너도 언젠가는 꼭 나를 좋아하는 마음으로 바라봐줘.

정말 진부한 말이지만 가장 따뜻한 말,
"사랑해"

누구나 쉽게 해줄 수 있는 말이지만, 사랑한다는 말만큼 따뜻하고 아름다운 말은 없을거야.

나 하나 챙기기도 힘들지만
너는 어떻게든 챙겨주고 싶어

나, 좀 덜렁거리고 부족하지만 너는 어떻게든 챙겨주려고. 내가 가장 아끼는 사람인데 어떻게 너를 못챙겨주겠어.

사랑은 주는 것만 있는게 아니다
돌아오는 것도 있어야 사랑이다

나 혼자 주기만 하면 그게 일방적인 짝사랑이지, 어떻게 서로의 사랑이라고 할수 있겠어.

원래 싫어하는 일들도
사랑하는 사람이랑 같이 있으면
싫지 않더라

이런게 말로만 듣던 사랑의 힘이라는 걸까? 네가 있다면 무엇이든 할 수 있을것같아.

세상의 반이 여자고, 남자여도
그 절반 중 너와 똑같은 사람은 없는데
무슨 소용이겠어

나는 너를 좋아하는거지. 네가 아닌 다른 사람은 의미 없어.

그냥 좋아한다고 말해버릴까

좋아한다는 말을 못참을정도로 너무 좋거든 네가. 나의 이 마음이라도 알아줬음해.

너, 나 좋아하지?
안 좋아한다면 내가 좋아질때까지 잘해줄게

네가 나를 좋아할 수 있을때까지 계속 잘해줄게. 내가 좋아졌다고 해도 계속 잘해줄게.

너의 그 사소한 배려가
내가 네게 반한 수많은 이유 중 하나야

너를 좋아하는 이유는 셀 수 없이 많지만, 몸에 배긴 듯한 자연스러운 너의 그 배려가 좋더라.

하루종일 네 생각만 나서
미치겠어

머릿속에는 온통 네 생각으로 가득찼어. 너 말고는 아무 생각도 들어오지 않더라고.

우산 안챙겼어. 버스카드도 안챙겼고.
아, 가장 중요한걸 안챙겼다. 너

그냥 너가 보고싶다고 말하는거야 이 바보야. 왜 너만 모르는 거야. 내가 못챙긴게 이렇게 많은데 나 챙겨주러 오면 안될까?

제 3 장 인 생

언제부터였을까
아무 목적없이 무의미하게
하루를 살아가기 시작한건

이제는 내가 언제부터 삶이 무의미하기 시작한건지 기억도 안날정도로 오래된것 같다. 분명 의미있는 날들이 가득했었는데

주변에 고민을 얘기하는 이는 많지만,
정작 내 고민을 들어주는 이는
왜 없는걸까?

분명히 난 모든 이들의 고민을 들어주고 해답을 주었는데, 내 고민을 들어줄 사람도 해답을 내어줄 사람도 없는 것 같아.

내가 보기엔 너가 가장 빛나
기죽지마

당신이 가장 빛이 나는 사람입니다. 자기자신을 바라보고 한번쯤은 전해주세요. 가장 빛나는건 나 자신이라고

정을 너무 쉽게 줘서
상처가 쉽게 생기는 것 같아

내가 상처가 자주 생기는 이유가 뭔지 되돌아보니, 나 되게 정이 많더라. 누군지 파악되기도 전에 너무 쉽게 정을 내어주어서 상처만 생기더라.

평범이 대체 뭐라고
그 틀에 맞춰서 지내야 하는거야
그냥 내 길을 개척하면 안되는거야?

남들 가는길만 따라가면 내가 발전하는 기회도 없잖아. 틀에 박힌채로 살아가기엔 그 틀이 나에게 너무 작은걸.

딴말 다 필요없고
나 요새 많이 지쳤어

말 그대로야. 나 좀 많이 지쳤어. 걷잡을 수 없을만큼 많이 힘들어. 지금 내 자신이 어떻게 되어가고 있는지도 모르겠어.

울고싶지만 계속 참아왔어
하지만 이젠 한계야

계속 참고 참아왔어. 그런데 이제 더 참다가는 내가 무너져버릴 것만 같아. 그냥 마음 편하게 울고싶어.

아는 사람은 많은데
진짜 친구는 없는 것 같아

주변을 돌아보면 정말 많은 사람들이 있긴하지만, 내 모든걸 털어놓지는 못할 것만 같은 사람들뿐이야.

인생이 너무 힘들다
내 편은 없는 것 같고,
울어봤자 우는 척이라고 손가락질이나 받는걸.
내가 있을 곳은 어디에도 없는걸까 싶지만
그래도 살아있으니까,
"일단은 살아보자"

정말로 모든게 지치고 힘든 세상이지만, 주변 시선같은건 신경쓰지말고 살아보자. 어떻게든 버티고 잘 견뎌내보자. 버텨냈다는거, 그 자체로도 대단한거니까.

마음이 못버티는건지
요즘 내 몸이 내 몸 같지않네

몸은 껍데기로만 버티고 있는 것 같고 이 상태에서 마음이 무너져버리면 그 상태로 와르르 무너져버릴 것처럼 요즘 나는 너무 아슬아슬한 상태인 것 같아. 마음을 붙잡아야 겨우 내 몸을 컨트롤 할 수 있을 것 같아.

우울증이라는게 어쩌면
지금 내 상태를 말하는 것 같아

우울증이라는 거, 되게 과하게 들리지만 그냥 누구나 가지고 있는게 아닐까? 마치 우울증이라는건 감정 중 일부처럼. 지금 내 상태만 봐도 우울증인 것 같은데말야.

진심으로 궁금한게 있는데
나같은건 없는게 나았을까?

뭐만하면 내 실수인 것만 같고, 세상에 방해되는 존재 같아. 그래도 나라는 사람이 없으면 지금 나의 일을 대체해 줄 수 있는 사람도 없을걸 알기에 내가 버티고 있는거야.

다들 수고많으셨어요
이제는 푹 쉬시길 바래요

고생많았어요. 힘든 일들이 있었겠지만, 다 잊어버리고 편하게 쉬시길 바래요. 소소하게 원하던 음식도 먹고, 하고싶던 일들도 해보면서 쉬어가길.

사람마다 성장의 아픔은 다르지만,
나는 좀 많이 아픈 성장을 하고있는 것 같다

지금 내가 이리 아픈건 아마도 성장중이여서 그런거겠지. 성장의 끝이 어딘지는 모르겠지만, 끝에서는 아프지 않고 좋은 일만 펼쳐지면 좋겠다.

오늘은 좀
울고싶은 날이네

뭐, 그런 날들 있잖아? 지금까지 참아왔던 것들을 가끔씩 쏟아내는 날들. 오늘이 그런 날인 것 같아.

별거 아닐거야
그냥 평소처럼 힘든 것뿐이야

그냥 평소처럼 힘든게 다야. 금방 또 지나가겠지. 이번에 힘든건 빠르게 지나가면 좋겠네.

인간관계라는거 지치는데
그냥 포기하고 혼자 지내고싶다

인간관계라는거 되게 복잡하고 힘도 많이 들더라. 그래서 그냥 포기해버리고 나혼자 지낼까 고민도 많이 하는데도, 혼자가 무섭기에 포기하진 못하겠더라.

자신감은 있어도
자존감은 없어

자신감이라는건 얼마든지 보여줄 수 있지만, 자존감은 저 구석에 박혀있어. 나를 사랑하는 법 같은건 많이 서투르거든.

나도 모르게 웃음 나오는
그런 즐거운 연락 좀 하고싶다

진짜 편하게 연락하면서 웃음 나오면 좋겠어. 편하다는 걸 마지막으로 느낀게 너무 오래 전이거든.

그냥 아무 걱정없이 살고싶어

요새 괜한 걱정들로 머릿속이 너무 복잡해. 아무 걱정 같은 거 안하고 편히 세상을 살고싶어. 정말로 그냥 아무 걱정 안하게 되면 좋겠어.

특별한 사람보다는
좋은 사람으로 기억되면 좋겠다

특별한 사람도 좋지만, 나라는 사람이 좋은 사람으로 기억되는게 더 가치 있는 것 같아. 내가 해온 노력들이 좋은 행동이였다는 걸 인정 받은 것만 같거든.

인생에서 꼭 필요한 사람은
내게 조언을 해주는 사람과
내가 편히 기댈 수 있는 사람

세상에 많은 사람들이 있지만, 가장 필요한 사람들은 조언을 해주는 사람과 내가 안심하고 기댈만한 안식처같은 사람들이지. 이 사람들이 내 인생에 정말 도움이 될 사람들이라는걸 살아가다보니 알게되더라.

무슨 힘든 일 있어요?

요즘 지치고 힘들텐데 숨기고만 있잖아요. 이런 질문을 누군가 한다면, 힘든일 같은건 없다고 부정하지도 못할걸요?

울고싶을 때 참아도 보고 울어도 봤지만,
울어버리는게 훨 낫더라고

참아봤자, 결국 언젠가 한번에 와르르 쏟아져버리는데 그럴바엔 울고 싶을 때 우는게 낫더라. 울어버리고 속상한걸 다 털어버리는게 진짜 좋더라고.

내 편이 없는 것 같으면 주위를 둘러봐요
분명, 멀리서 힘이 되어주고 있을거예요

아마도 잘 보이지 않을 정도로 꽤나 멀리있어서 눈치채지 못하고 있었던 것 뿐이겠죠. 분명히 어딘가에 내 편이 응원해주고 있다고 생각하고 어떤 일이든 힘내봅시다.

고생 가득한 날들에도 버티고
살아계셔주셔서 고맙습니다

너무 힘들고 지쳤을텐데, 그런 하루에도 버텨내고 있어주는 당신이 너무나도 존경스럽고 고맙습니다.

왠지 행복했던 예전으로 돌아가고 싶은 밤

행복했던게 언제였는지 기억도 잘 안날만큼 희미하긴 하지만, 그냥 예전까지만 해도 행복했던 것 같은데말야. 오늘은 편하고 행복했던 예전으로 돌아가보고 싶은 그런 밤이야.

인간관계가 지친다 정말.

어쩌면 그 어떤 일보다도 힘든게 바로 인간관계가 아닐까? 실수하면 모든 것이 비틀어지는, 예민하고 복잡한 것이 관계라는거니까. 그래서 쉽게 지치는 것 같아.

한사람에 목매달리지 마세요
결국 스쳐가는 인연 중 한명이었을 뿐이니까

얼마든지 새로운 만남은 있고, 이별도 언제나 같이 찾아오듯 모든 사람을 신경쓰기는 힘들거든. 만남과 이별은 언제든 있으니 한사람에 목매달리지말자.

아무 걱정없이 행복하게 살아왔던게
엊그제같은데 요즘은 왜이리 경계심투성이일까

아무래도 세상이 너무 각박해서 걱정없이 산다는게 많이 힘든것같아. 경계하고 싶지 않아도 누군가에게 배신당할까봐 두려워서 뭐든 경계하게 되더라.

요즘 왜 이렇게 지치지
지친 마음 알아주는 사람도 없는 것 같고

어딘가에 기대고 싶지만, 그 기댈 대상이 내 주변에는 없는 것 같은 느낌이야. 그러다보니 나 혼자서 극복하는 연습만 무한반복중이더라. 언젠가는 편히 기대어서 내 지친 마음을 공감받고 싶어.

"울지마 힘내"도 좋지만,
난 "울어도 돼 기다려줄게"가 더 좋다

울고싶지만 그렇다고 참아버릴 수는 없듯이, 차라리 울고싶을 때 울고싶은 만큼 편하게 울어버리라는 말이 마음에 와닿더라고.

인생은 혼자라고 하지만
혼자서 버티기에는 인생이 너무 외롭다

인생은 혼자로 시작해서 결국 혼자로 끝난다고는 하지만, 그렇다고 그 과정도 혼자라는 법은 없으니까. 살아가는 동안은 혼자 외롭게 보내지않고 사람들과 같이 인생을 살려고.

"세상에서 가장 불행한건 나일거야"
라고 모두들 생각하죠
그냥 아무도 이런 생각따위 하지않기를 바래요

아무도 불행하지않기를, 그저 모두의 힘든 일이 조금은 덜어지기를 간절히 바라고 소망합니다. 모두가 고생한만큼 보상 받을 수 있기를.

각박한 세상속에서 버텨내고 있는
당신이 정말 너무나도 존경스럽고 대단합니다

이런 세상에서 버티고 있는 것, 그 자체가 당신이 대단하다는 이유 중 하나예요. 앞으로도 함께 버텨내봐요. 이런 각박한 세상따위 아무것도 아닌 것 처럼.

인생이 뭐가 이리 한숨만 나오냐
이런게 인생이라고는 하지만, 너무 힘들다

한숨만 나오는 요즘, 적응이 되어 무뎌진 것인지 모르겠지만 사실 괜찮아지고 있는 것만 같아. 근데 그 무뎌짐때문인지 내가 무너져가는 것도 모르고 있더라. 인생이라는게 정말 너무 지치고 힘들어.

그냥 잘하고 싶었을뿐인데
왜 생각대로 이뤄지지않는걸까

큰 바램도 아니고 고작 한번만이라도 잘해보고 싶었을뿐이였는데 왜 자꾸 이뤄지지않는지 모르겠어. 나만 아무것도 못 이루는 것만 같아.

나의 아픔을 공감받고싶지만,
아픔은 결국 약점이 되어버리니
힘들땐 항상 혼자였어

약점이 잡힐까봐 두려워서 나의 아픔을 어디에도 말하지 못한채 나 혼자 견뎌내니까 점점 지치기 시작했어. 약점이 되더라도 누군가에게 한번쯤 기대보는 것도 나쁘지 않을 것 같기도해. 시도라도 해보는거지 뭐.

주변에 많은 사람이 있어주는 것도 좋지만,
나를 소중히 아껴주는 이들이
몇명만 있어도 인생이 행복할 것 같다

솔직히 나를 아껴주는 이들이 있다는 것 자체만으로도 이미 완전한 행복이 아닐까? 주변에 사람이 많더라도 나를 아껴주지 않는다면 결국 소용없는거니까.

남들한테 피해끼치는 것보다
차라리 혼자가 편한 것 같다

피해끼치는 것도 너무 죄책감들고 힘든데, 차라리 처음부터 혼자였으면 피해끼칠일도 없지않았을까라는 생각도 가끔씩 들더라.

행복한 척하는 것도 지친다

척이라는건 정말 어려운거라 생각해. 그 어렵고 지치는걸 항상 하더니 이제는 정말로 행복한게 뭔지 잘 모르겠더라.

남들이 나에게 별 생각이 없어도
나 혼자 남들한테 눈치보여

별의미 없는 말이라고해도 나는 그 한마디의 숨은 의미를 찾으려고 하고, 혼자서 남들 눈치만 보게 되더라. 남들 앞에선 모든 행동이 눈치보이고 조심스러워지는게 어쩌면 당연한 일이였던 것같아.

나를 믿어주는 사람이 있기에
나도 사람들을 믿게된다

내가 사람을 믿는 이유 중 하나가, 나를 믿어주는 사람이 있다는것 때문이야. 나를 믿어주는 사람이 없었다면 아마 나는 사람들을 전혀 믿지 못했을거야.

잘했다는 말까진 안해줘도 되니까 고생했다고 한마디만 해주길

잘했다라는 과분한 말까지는 바라지않아. 내가 해왔던 일이 잘못된 일이 아니라고, 고생했다고 딱 한마디만 해주면 좋겠어.

요즘은 그냥 아무것도 하기싫다

무기력하고 지치는게 요즘 일상인 것 같아. 어떤 것에도 흥미가 느껴지지않아서, 아무것도 하지않고 편히 쉬고 싶어.

나도 누군가에겐
쓸모있는 사람이 되고싶다

지나가는 엑스트라1이 아닌 조연처럼, 누군가의 인생에선 내가 조력자가 되어주고 싶어. 내가 쓸모없다고 느껴지지않게 말이야.

눈물을 흘리듯이
아픔을 다 씻겨내버리고 싶다

아픔도 눈물처럼 흘러서 씻겨나가면 좋겠어. 아픔이 머문자리가 아물 수 있게, 아픔이 씻겨지면 좋겠어.

사람들을 미워하기는 싫지만
사람들이 미워하게 만들더라

사람들을 이해하고 존중하려해도 배신을 하는데, 어떻게 이해하고 존중을 할 수 있겠어. 믿어봤자 배신 당하는건 결국 나인걸.

떠나기 싫더라도 어쩔수없이
떠나야하는 순간은 온다

이별이라는건 누가 되었든 필연적으로 일어나는 일이기에, 떠나야할때는 깔끔하게 떠나는게 좋더라. 떠나는게 연인이든, 친구든, 가족이든, 누가 되었든 이별은 필연적이기에.

예전엔 사소한것 하나하나가 다 상처였는데
이젠 사소한것에 신경 쓸 시간도 없네

상처받느라 매일이 고통스러웠는데, 요즘은 너무 바쁜 일상을 보내느라 상처가 생기는 줄도 모르게 되더라. 사소한 일에 상처를 받아봤자 상처가 더 커지는걸 알게되어서 그런 것 같아.

남들을 사랑하는건 쉬운데
나 자신을 사랑하는건 어렵더라

나 자신을 보듬고 사랑해주는게 어쩌면 인생에서 가장 벅찬 일일수도 있어. 나 자신에게만 사랑의 기준이 엄격하니까.

이제는 뭐가 진짜 내 마음인지
잘 모르겠다

사람들 앞에서의 내 모습이 너무 적응이 되어버려서 내 진짜 모습과 진짜 마음을 모르겠어. 예전의 진짜 내 모습은 사라진지 오래야.

분명 난 밝은 사람이였는데
왜 지금은 밝은 척하는 사람이 되어버린걸까

누가봐도 행복해보이고 활발하고 밝은 사람이였던 내가 이제는 사람들 앞에서만 밝아지는 앞뒤가 다른 사람이 되어버렸어. 진짜 내 안의 밝은 모습은 없어진지 꽤 되어버린 것 같아.

힘들고 지치더라도
포기하지말고 잠깐 쉬었다가요

포기를 해버린다는건 힘들게 고생해왔던 걸 결국 처음부터 다시 시작 해야하는거니까, 포기하지않고 잠깐만 쉬었다가자. 쉬었다가는건 포기하는게 아니니까 말이야. 언제든 준비가 되면 이어서 할 수 있게.

"너 진짜 별로다"라는 말도 상처지만
"너를 못믿겠어"는 가슴에 대못이 박힌것만큼이나
큰 상처더라

나를 못믿겠다는 말은 마치 내가 지금까지 그 사람에게 신뢰받지 못하는 사람이였다는 것만 같아서, 내가 신뢰가 가지않는 사람이라는 것만 같아서 마음에 대못이 박힌 것만 같아.

상처받는게 무서워서
숨어버리게 된다

상처라는게 얼마나 아픈지 알고있어서, 그 아픔을 겪고 싶지않아서 아무도 없는 곳으로 숨게 되더라.

"이렇게까지 해야되나"가
입버릇이 되어버렸어

이렇게까지 해도 달라지는게 없어보이니까 매번 "이렇게까지 해야되나"라고 말하게 돼. 열심히 해봤지만 달라지는게 없어보이니까.

궁정적이고 싶어도
세상이 이미 너무 부정적이야

부정적인 세상에서 긍정적이기가 가장 힘든 일이야. 나라도 어떻게든 긍정적으로 변한다면 세상이 조금은 긍정적으로 바뀔까?

밝은 미래를 위해서
조금 오래 어두운 삶을 살고 있는거야

지금은 어두운 시기인거고, 언젠간 하늘의 별처럼 반짝거리며 빛나는 날이 올거라고 믿어.

"넌 최고야"라는 말
딱 한마디만 듣게된다면 행복할 것 같아

사소한 말이겠지만, 지쳐있는 나에게는 하루의 활력소가 되어주는 말이야.

내가 힘들어도
그걸 알아주는 사람은 극소수다

나의 가면이 아닌 속에 있는 진짜 내 마음을 알아채주는 사람이 정말 소중한 사람이 아닐까. 물론 그런 사람이 많지는 않겠지만.

우울증이라는거,
되게 쉽게 나타나면서
쉽게 사라지지않더라

되게 쉽게 나타나는게 우울증이던데, 없애려고 발버둥 쳐봐도 결국 제자리인게 우울증이더라. 없애지 못할 것 같다는 무력감에 더욱 지치는 느낌이야.

지금 사는 인생은 처음이였고
학생도 처음, 어른도 처음이였어.
모든게 처음이라 서툴렀던거야.

인생이라는 건 원래 다 처음이라 서투른거니까. 실수한다고 자책하지 않아도 돼.

힘들고 지치지만
털어놓기엔 무서웠던 그런 경험 있죠?

힘들어도 힘든것은 나의 약점이니까, 완전히 누군가를 신뢰할 수는 없으니까 털어놓지도 못하는 그런 경험.

어른이 된다고 해서
모든걸 능숙하게 해낼 수는 없다

어른이라고해도 아직 성장중이고 배워가고 있을 수 있거든. 아이들보다는 조금 더 해낼 수 있겠지만, 모든걸 능숙하게 해낼수는 없어.

나의 상처를 없앤다고
다른 사람에게 상처를 주지는 말자

상처라는건 많이 아픈걸 알고있잖아. 내가 아픈만큼 다른 사람에게 상처를 주는것도 그 사람에게 고통이란걸 알고있으니까 다른 사람한테까지 상처를 주지말자.

이리저리 치이다보니
내가 가려했던 길이 보이지않아

원래 내가 가려했던 길이 있던것같은데, 어째서인지 내가 가려했던 길이 보이지않아.

오늘만,
마지막으로 한번만 더 울게요

더이상 울지 않으려 노력할테니, 이번 한번만 약한 모습 좀 보일게. 나도 사람이니까 울고싶을 때가 있거든.

필요할때만 찾는 그런 사람말고
언제나 내곁에 있어주는 그런 사람이 좋다

인생에서 꼭 필요한 사람은 언제나 곁에 있어주는 사람이 아닐까? 그래서 나도 언제나 곁에 있어주는 사람이 되어야하고.

"이정도까지 했으면 됐지"
라는 생각이 들었다면
당신은 정말로 최선을 다한것입니다

남들이 보기에는 부족하더라도 네가 생각하는 최선을 다해서 열심히 노력했으니까. 그러니까 남들의 비난에 속상하더라도 넌 최선을 다한거야. 기죽지 않아도 돼.

애써 참아온 마음이
와르르 쏟아져 버릴것만 같은 날

댐에 물이 가득차면 넘쳐버리는 것처럼 내 마음속에도 한계가 가득차버려서 와르르 무너져버릴 것 같은 그런 날 있잖아.

마음이 꺾여버리더라도
부러지지않고 다시 일어나자

한번 실패한다고 그자리에서 포기하면 앞으로 더 나아가지 못해. 실패하더라도 포기하지말고 계속 도전하자.

너무 앞만 보고 달리지 말자.
주위를 둘러보며 쉴 수 있는
기회가 많이 있다는걸 인지하기 위해
무작정 앞만 보고 달려서 뒤늦은 후회를 하지 말자.

저 멀리에 있는 목표만 바라보지말고, 가까운 목표부터 천천히 이뤄내가자. 무작정 멀리 달려나가면 결국 몸도 상하고 정신도 상하게 되거든.

말도 다시 주워담을 수 있었다면
너에게 상처 주었던 말들을
다시 다 주워담고 싶어

네 기억 속에서 내가 나쁜 사람으로 기억되었다는 것이 미운 것보다 미안하거든.

인생이라는건
아주 찰나의 실수로는 전혀
아무 지장 없을만큼 길다.
그렇기에 지금 당장은 실수해도 괜찮다.
앞으로 조심하면 실수를 만회할 수 있기에

인생이라는게 어디까지 펼쳐져있을지 알 수 없을만큼 길기에, 고작 몇번의 실수가 있었더라도 시간이 지나면 금방 묻히고 잊혀지거든.

되는게 하나 없는 것 같은 하루,
그래도 오늘도 버텨냈네
수고했어 나 자신

되는 것도 없고 미래에 바라는 것도 없고 일단 살아가고 있겠지. 근데 그것만으로도 대단한거야. 버텨냈잖아.

어른이라는 것은 완전히 성장한게 아니다
어른이라도 성장하고 있을 수 있다

'어른이라면, 다 컸다면 이정도는 해야지' 말도 안되는 소리들이야. 성장에는 끝이 없거든.

아픔이 있어야 성장한다
지금까지의 힘든 일들을 잊지않고
잘 기억하다가 나의 성장디딤돌로
써가며 앞으로 나아가자

힘들다고 다 잊어버리고 모른 체 하는게 아닌, 언젠가는 실패했던 그 힘든 일들을 이겨내고 더욱 성장할 수 있도록 기억하고 있자. 실패 후 이겨낸다는 건 아픔이 있어야 성장하는 것이랑 같은 의미거든.

무너짐에 익숙해지더니
이젠 무뎌졌어

이제는 무너지는 것도 모르겠더라. 너무나도 무뎌져버렸더라. 남들의 비난에도, 계속되는 실패에도 무뎌져버렸어. 분명 이렇게 되면 안되는데.

실수라는건 누구나 하는 것이니까,
유별난게 아니니까 기죽지말자

사람이라면 누구나 실수하는거야. 그러니까 기죽지말고 자책하지않기로 약속하자. 실수야 몇번이고 할 수 있지. 그 후에 변하느냐 안변하느냐 차이인거야.

모든걸 짊어내려하지마,
너는 최선을 다했어

너라는 사람도 한명인건데, 어째서 너 혼자 다 짊어내려 하는거야. 너도 소중한 사람이야, 남들이 힘들어한다고 너 혼자 짊어질 필요없어. 다른 사람도 소중하듯 너도 소중한 사람인걸 기억해야해.

이리저리 치이고
정신을 차려보니 어느새 새로운 계절

시간 참 빠르더라. 바쁘게 일하고, 이리저리 치이고 드디어 정신을 조금 차리기 시작했는데 어느덧 계절이 바뀌었더라.

지겹도록 나를 깎아내리다보니
결국 깎아내릴 것도 없을만큼
한없이 작아져버렸어

누가 그러더라. 나라는 원석을 깎아내면서 다듬고 보듬어주라고. 근데 계속 깎아내려고 해서인가, 너무 깎아서 이젠 그 원석도 거의 보이지 않더라.

"괜찮아, 잘될거야"라고 조언만 해주던
당신은 괜찮으신가요?

괜찮아질거야. 조언 해주느라 수고했어. 이제는 내가 다 들어줄게. 고민은 언제든 털어놓아도 돼. 언제나 내 옆에서 편히 기대도 돼.

새롭게 펼쳐질 미래를 기다리며 살아가주세요
조금만 더 살아봐주세요
아니면 그냥, 살아있기만이라도 해주세요

살아가고, 살아보고, 살아있자. 그냥 무언가를 바라지 않더라도. 일단 살아가자. 그거 자체로도 힘든거 알고 있어. 그래도 일단 살아있자. 꼭.

마치 기다렸다는 듯
불행이 와르르 쏟아져 내린다

행복한 길만 펼쳐질 것 같았는데, 불행이 한번에 찾아오더라. 그래도 이 불행을 이겨내면 또다시 행복이 찾아올거라고 믿어.

새로운 사람이 온다면
한 사람이 자연스레 가는 것

어쩔 수 없더라. 붙잡으려 노력도 해봤지만, 누군가가 내게 온다면 누군가는 떠나가더라.

내가 상처를 받는 것보다
내 사람이 상처를 받는 것이 더 마음 아프다

나의 상처에는 이미 무뎌졌지만, 남이 상처를 받는건 언제까지나 내가 더 괴롭더라. 나의 상처도 챙겨줘야 하는걸 알고있음에도.

누군가는 나를 미쳤다고 하겠지만
사실은 불안한 것뿐이다

너무 불안해서 미쳐버렸을 수도 있겠지. 근데 어쩌겠어. 모든게 너무나도 불안한걸.

나의 소중했던 X에게

안녕, 우리가 헤어지고 난 좀 많이 아픈시기들을 겪었어. 너를 그리워도 해보고, 기다려보기도 하고, 어떤 날엔 잊으려 해봤었지. 그래도 시간이 지나가니 차차 잊혀지더라. 너를 잊는거, 그런건 못할줄만 알았는데. 이제는 확실히 알았어. 더이상 과거에 머물러 있다가는 앞으로 나아가지 못할거란걸. 너라는 사람을 사랑했고, 너가 내게 가장 소중했었어. 이젠 널 떠나보낼 시간이야.

아직 잊혀지지않은 X에게

나는 아직 네가 없는 삶이 적응이 안된다. 아침에 일어나면 좋은 아침이라고 말해주던 네가 없으니, 아침이 와도 아침이 온것같지 않더라. 아무래도 너라는 사람이 내 마음에 크게 들어왔었나봐. 너는 날 잊고 잘 지내고 있어? 유치하겠지만 너도 날 못잊어서 조금은 힘들어하면 좋겠어. 나, 앞으로도 완전히 널 잊기는 힘들겠지만 조금씩 잊어내보려고. 언제까지나 사랑할게.

상처만 주어서 미안했던 X에게

안녕, 좋은 날이야. 오늘따라 더 네가 생각나네. 네게 상처만 주었던 내가 정말 후회된다. 그때로 다시 돌아가고싶어. 이제와서 네게 상처줬던 것들을 다 지워버릴 수는 없겠지.. 다시 시작한다면 진심으로 사랑하고 상처주지않을 자신있지만 이제와서는 너무 뒤늦은 후회겠지. 널 놓아버린게 정말 후회되지만, 네가 나로인해 더이상 아프지 않아서 다행이다. 정말 사랑했어.

권태기가 온 나의 X에게

사랑이라는게 요즘 많이 지쳐보이더라. 그러면 그동안 쌓아온 우리의 추억을 떠올려보자. 같이 여행도 떠나고, 계획없이 돌아다녀도 보고 함께있던 매순간이 즐거웠잖아. 네가 권태기가 와서 힘들어하는 거 나도 잘 알고있어. 그래도 난 얼마든지 옆에서 기다려줄 수 있어. 언제까지나 난 널 사랑하니까, 늘 기다릴게. 같이 극복해보자. 힘들땐 언제든지 말해줘.

희망을 포기하려했던 모두에게

세상이라는 건 힘든일의 연속이죠.
힘들고 지칠 것을 알아도 "언젠가는 행복해지겠지"
라는 단 하나의 희망만 바라고 살아가는데,
아무리 해봐도 되는 일 하나 없어서
다 포기해버리고 싶은 생각도 자주 들겠죠.
하지만, 어쩔 수 없이 세상에 이미 던져진 이상
포기할 수는 없잖아요?
그만 힘들고싶어도, 여기서 그만두기엔 지금까지
쌓아온 노력들도 있을테니까요.
그게 아까워서라도 한번만 더 도전해봅시다.
언제나 멀리서 응원할게요.

별거없는 하루를 보낸 모두에게

반복되는 일상이 지겨운 요즘,
아침, 점심, 저녁 시간은 금방 가버리고
되돌아보면 아무것도 한 것이 없고
그냥 눈이 떠지기에 살아있는 느낌.
별거없고 반복되는 하루라도
미묘하게 달라져있는 하루 덕에
그나마 오늘을 의미있게
보낼 수 있는거라고 생각해요.
오늘 하루가 별거 없었어도,
다음날엔 새로운 하루가 펼쳐지잖아요
그러니까 오늘 하루,
아니 내일도 모레도 쭉 새로운 하루를 바라며
살아가봐요.

일상이 지친 나에게

요즘은 어때? 몸은 괜찮고? 솔직히 그냥 무기력하고 지친 하루만 지내고 있는거같다고 느껴지겠지. 틀린말은 아니긴하네. 거기다가 세상에 내편은 없는 것만같고.. 뭐, 원래 인생은 혼자라고 하기는 하지. 그렇다고 혼자라는게 힘들지 않은건 아니잖아? 난 그냥 너가 힘들지 않았으면 좋겠어. 네 힘든 모습을 누군가가 얕잡아본다고해도 힘들어하는건 잘못된게 아니니까. 넌 아직 성장중인 사람이고, 앞으로도 성장할 사람이니까, 힘들어하는 모습을 누군가가 얕잡아본다고 해도 기죽지말고 주변을 둘러봐봐. 주변에 너를 욕하는 사람만 있는게 아니라, 너를 응원하는 사람도 있다는 걸 알 수 있게 될거야. 아마도 너를 욕하는 사람들만 의식하느라 너를 응원해주는 사람들이 잘 보이지 않았던걸거야. 이제는 그런 사람들이 있다는 걸 알게되었으니, 앞으로는 너가 힘들지 않았으면 좋겠어. 이제는 주변인들에게 기대고, 기대어주는 그런 사람으로 성장하길. 세상에 네 편은 있으니 지칠 땐 언제나 네 편에게 의지하길 바래.

행복하지 않은 것만 같은 모두에게

행복 그게 뭐라고 그게 없으면 삶이 지치는 걸까요. 살아있는 것, 그 자체로도 벅찬데 행복하기까지 해야한다니 세상이 우리에게 바라는게 참 많죠. 그냥 이리저리 치이고 행복하지 않더라도 내일로 나아가고 행복하지 않더라도 그저 그렇게 버텨내는 것 그걸로도 충분해요. 세상이 우리에게 바라는 행복은 너무나도 힘겨운 거니까요. 행복이라는건 누구에게든 어려운 과제이고, 모두의 행복 기준은 다 제각각이죠. 거기다가 행복이라는건 추상적이라 어떤 건지 감도 오지않고요. 굳이 행복하지 않더라도 살아가고, 살아가다 우연한 행복을 발견하게 자연스레 지냅시다. 행복한 순간이 올때까지 묵묵히 곁에 있어주는 이들도 존재할테니. 힘들고 행복하지 않은 나의 모습을 보고도 곁에 있어주는 그런 사람들과 계속 내일을 써나갑시다.

억지로 행복하실 필요는 없어요.

2024.01.09~2024.05.01까지의 모든 게시물들이 담긴 자그만한 책입니다. 지금까지 읽어주셔서 감사드리고, ins._.ang계정도 많은 관심 부탁드립니다. 앞으로도 공감이 되어주는 짧은 글귀들을 많이 써내려가겠습니다.

작가의 말

저의 첫 책이라 단어 선택도 어색하고, 문장의 연결또한 어색함이 없지않아 있었을 것 같습니다. 앞으로 새로운 글들을 써가며 어색함을 없애고 더욱 발전해 가는 그런 작가가 되겠습니다.

미진

미진이라는 이름은 본명이 아닌 필명입니다. 아름다울 미의 **미**와 진심을 담겠다는 **진**이 합쳐져서 아름다운 진심, 이렇게 필명은 **미진**이 되었습니다.

계기

제가 이글을 쓰게되었던 계기는 한 의문으로 시작되었었습니다. '긴 글을 보는 것은 조금 힘든데, 그렇다면 짧은 글들로 공감이 되어주는 그런 것은 없을까?' 였습니다. 그래서 짧은 글귀들이 담긴 게시물들을 올리기 시작하였고, 어느덧 그 짧은 글들이 많이 모였습니다. 그 글들을 이제 들고다니며 한번에 손쉽게 볼 수 있게 지금의 이 책을 쓰게 되었습니다.

후기

이 글을 디딤돌로 앞으로 더욱 많은 글들을 써나갈 예정입니다. 어색하고 많이 부족했던 것만 같은 책이지만, 저의 첫 책이라 굉장히 뿌듯하고 상당히 행복하게 작업했던것 같습니다. 이 책이 비록 많은 관심을 받지 못한다고 하여도 이 책을 써보았다는 것, 하나에 의미를 두고 앞으로도 많이 준비해보이겠습니다.

마치며

이 책을 구매해주신 모든 분들 감사드리고, 앞으로도 더욱 성장하는 모습 보여드리겠습니다. 언제나 좋은 일들만 가득하시길 바라며.